Adriana Fernández
    Pato Pico Chato / Adriana Fernández; ilustrado por Eugenia Nobati -
1a ed. - Buenos Aires : Unaluna, 2007.
    36 p. : il. ; 22,5x22,5 cm.

    ISBN 978-987-1296-25-5

    1. Narrativa Infantil Argentina. I. Eugenia Nobati, ilus. II. Título
    CDD A863.928 2

Dedicatorias:
Para Joan y Tomás, A.F

Textos: Adriana Fernández
Ilustraciones: Eugenia Nobati

Impreso por PRINTING BOOKS, Mario Bravo 835, Avellaneda,
Buenos Aires, Argentina, en el mes de marzo de 2007.

Distribuidores exclusivos: Editorial Heliasta S. R. L.
Viamonte 1730 - 1er. piso (C1055ABH) Buenos Aires- Argentina
Tel: (54-11) 4371-5546 Fax: (54-11) 4375-1659
editorial@unaluna.com.ar - www.unaluna.com.ar

Queda hecho el depósito que establece la ley 11.723
Libro de edición argentina

Pato Pico Chato

TEXTO: **ADRIANA FERNÁNDEZ**
ILUSTRACIONES: **EUGENIA NOBATI**

unaluna

Pato Pico Chato era un pato contento, conforme con su vida en el estanque.

Pero cierta vez, por esas piruetas que dan los ojos, se vio el pico.

"Que pico tan aburrido, tan... tan... tan... chato", pensó Pato.

> A Pato no le gusta
> su pico chato.
> Quiere un pico en punta,
> un pico florido
> o, por lo menos,
> un pico inflado.
> —Nunca chato— dice Pato.

Mientras escuchaba el alboroto de los animales, Pato miró a su alrededor y descubrió la solución.

Debía tener un pico florido, ¡esa era la solución!

¡Cómo no se había dado cuenta antes, viviendo entre las flores que rodeaban el estanque! ¡Debía pintarse el pico y llenarlo de flores!

Pero para eso iba a necesitar ayuda, porque él era un pequeño palito y solito no podría hacerlo.

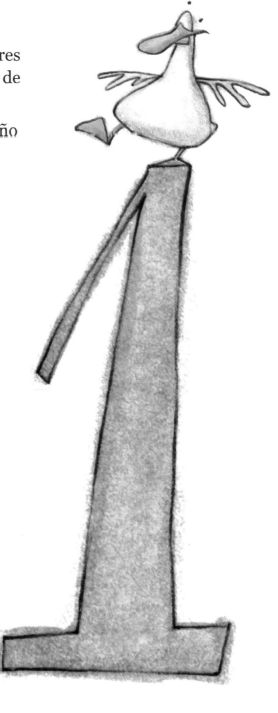

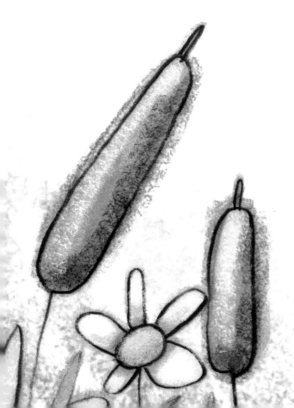

Pato Pico Chato se encontró entonces con el **Cerdito Sancho Pancho**.

"¡Ahora ya somos dos!", pensó Pato. "Tal vez el cerdito pueda ayudarme".

—Querido Sancho Pancho, quisiera un pico florido, no tan chato —dijo Pato.

El cerdito lo miró desconcertado.

—Ahora que somos dos, tal vez podamos pintar mi pico. ¿Me ayudas? —insistió Pato.

Sancho Pancho no podía, pues estaba apurado por abrir su negocio y tenía que comprar salchichas. Y los negocios estaban primero.

—Qué pico ni pico... Y a mí ¿quién me ayuda?

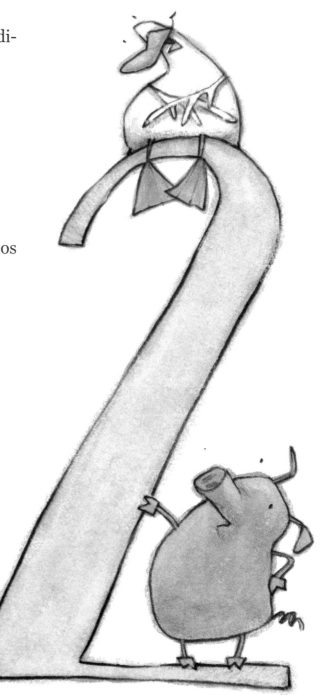

Entonces pasó por allí de casualidad la **Cabra Abracadabra**.

"¡Ahora ya somos tres!", pensó Pato. "Tal vez Cabra pueda ayudarme".

—Querida **Cabra Abracadabra**, quiero un pico florido, no tan chato —dijo Pato.

Cabra dio vuelta para un lado y para el otro, dio una vuelta entera.

—Ahora que somos tres, tal vez podamos pintar mi pico. ¿Me ayudas? —insistió Pato.

Cabra no podía, debía desaparecer y aparecer, desaparecer y volver a aparecer, como por arte de magia.

—Qué pico ni pico… Y a mí ¿quién me ayuda?

Del estanque saltó el **Sapo Poco Rato,** que había estado escuchando ruidos en el lugar.

"¡Ahora ya somos cuatro!", pensó Pato. "Tal vez Sapo pueda ayudarme".

—Querido Sapo Poco Rato, quiero un pico florido, no tan chato —dijo Pato.

Sapo miró con ojos muy abiertos... es que no podía hacerlo de ninguna otra manera

—Ahora que somos cuatro tal vez podamos pintar mi pico. ¿Me ayudas? —insistió Pato.

Sapo no podía, tenía que buscar su reloj con urgencia. Siempre estaba apurado.

—¿Qué pico ni pico... Y a mí ¿quién me ayuda?

Bajaba por su tela brillante la **Araña No Me Extraña.** Lentamente llegó hasta unos juncos que estaban al lado de Pato.

"Ahora ya somos cinco", pensó Pato. "Tal vez Araña pueda ayudarme".

—Querida Araña No Me Extraña, quiero un pico florido, no tan chato —dijo Pato.

Araña lo miró sin extrañarse en lo más mínimo de lo que acababa de escuchar.

—Ahora que somos cinco tal vez podamos pintar mi pico. ¿Me ayudas? —insistió Pato.

Araña No Me Extraña también quería muchas cosas pero ya se sabe... en la vida no se puede tener todo...

—Qué pico ni pico... Y a mí ¿quién me ayuda?

De un salto largo llegó el **Conejo Con Espejo** hasta donde ellos estaban.

"¡Ahora ya somos seis!", pensó Pato. "Tal vez Conejo pueda ayudarme".

—Querido Conejo, quiero un pico florido, no tan chato —dijo Pato.

Conejo tardó en contestarle, pues se estaba admirando frente a su espejo.

—Ahora que somos seis tal vez podamos pintar mi pico. ¿Me ayudas? —insistió Pato.

Conejo Con Espejo no podía, tenía que estar seguro de que sus bigotes lucieran bien, de que sus orejas estuvieran parejitas, de que su pelo brillara impecable.

—Qué pico ni pico... Y a mí ¿quién me ayuda?

Uno de ellos llamó entonces a la **Rana No Me Da La Gana,** que andaba distraída por las orillas del estanque.

"¡Ahora ya somos siete!", pensó Pato. "Ojalá Rana pueda ayudarme".

—Querida Rana, quiero un pico florido, no tan chato— dijo Pato.

Rana escuchaba y reía al mismo tiempo. No podía creer que Pato le pidiera un favor.

—Ahora que somos siete tal vez podamos pintar mi pico. ¿Me ayudas? —insistió Pato.

Pero Rana no podía porque nunca quería hacer favores, nadie le había enseñado a ayudar... así de sencillo.

—Qué pico ni pico... Y a mí ¿quién me ayuda?

Sin que nadie lo hubiera llamado llegó al instante el **Gallo Aquí No Me Hallo**.

"¡Ahora ya somos ocho!", pensó Pato. "Tal vez Gallo pueda ayudarme".

—Querido Gallo, quiero un pico florido, no tan chato —dijo Pato.

Gallo miró con soberbia a Pato y al resto de los animales

—Ahora que somos ocho tal vez podamos pintar mi pico. ¿Me ayudas? —insistió Pato.

Gallo ni siquiera pensó en ayudar, estaba muy ocupado por encontrar el lugar perfecto para que todos pudieran verlo a la hora de su quiquiriquí.

—Qué pico ni pico... Y a mí ¿quién me ayuda?

Primero dio varios saltos fuera del agua, y vuelta adentro, y afuera y adentro. Luego se asomó el **Pez Que Tal Vez.**

"¡Ahora ya somos nueve!", pensó Pato. "Ojalá que Pez pueda ayudarme".

—Querido Pez, quiero un pico florido, no tan chato —dijo Pato.

Pez se hundió en el agua como si no hubiera entendido lo que le decían y volvió a salir.

—Ahora que somos nueve tal vez podamos pintar mi pico. ¿Me ayudas? —insistió Pato.

Pero Pez no se podía decidir, dijo que tal vez sí, pero que tal vez no, que tal vez, que tal vez.

—Qué pico ni pico... Y a mí ¿quién me ayuda?

Entonces se escuchó una risa chiquita que se acercaba. Era la **Ardilla De La Pandilla**.

"¡Ahora ya somos diez!", pensó Pato. —Pero nadie me puede ayudar. ¡Todos tienen sus propios problemas! —gimió desconsolado.

—Esto es muy sencillo —dijo Ardilla—. Si formamos una pandilla, entre todos nos podremos ayudar. ¡Podemos ser la **Pandilla de los Diez!**

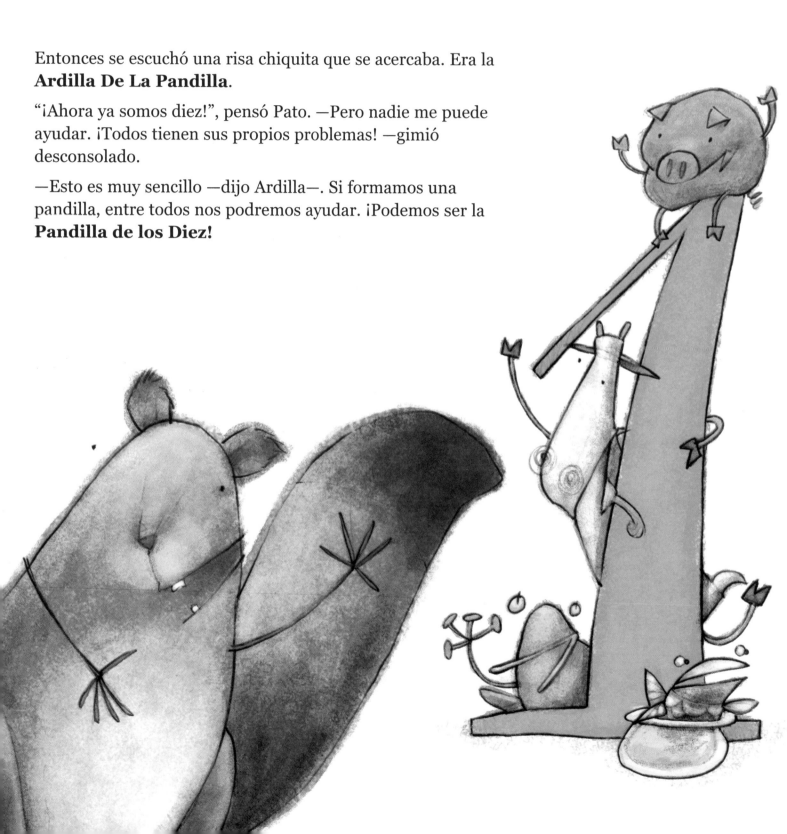

Dijo la Ardilla:

—Entre todos podemos enseñarle al cerdito Sancho que primero están los amigos y luego los negocios; entre todos podemos pedirle a la Cabra que no desaparezca por un rato; podemos decirle al Sapo que a veces vale la pena andar menos apurado. Entre todos podemos enseñarle a la Araña a confiar en que algunas cosas se pueden lograr; podemos decirle al Conejo que es muy lindo así ya no necesita mirarse todo el tiempo en el espejo; también podemos enseñarle a la Rana a hacer favores, y al Gallo que este es un buen lugar, por lo menos para pintar un pico; entre todos, podemos ayudar a Pez a tomar una decisión.

Y entre todos... ¡podemos pintar tu pico, querido Pato!

Pato Pico Chato ahora es solamente su
nombre, porque cuando Pato revolea sus
ojos y se mira el pico, se encuentra con el
jardín de colores que le pintaron sus amigos.

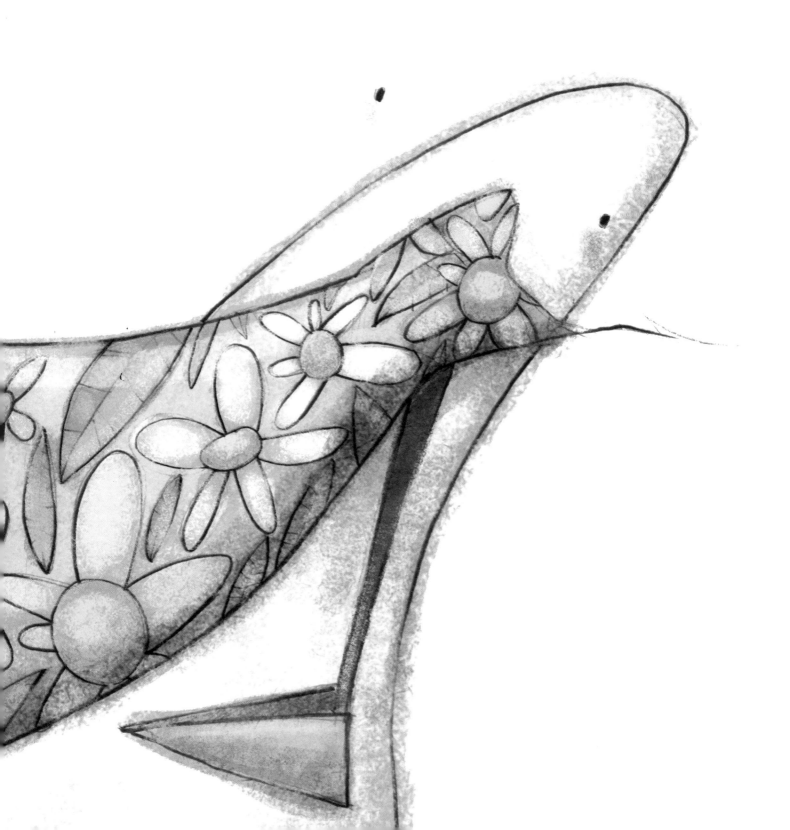

PARA QUE LOS PADRES Y LOS DOCENTES SIGAN LEYENDO

La colección **Mini matemáticos** acerca a los niños a los primeros conceptos de la matemática. En este caso, a través del cuento de *Pato Pico Chato*, los niños acceden a la noción de número cardinal.

El texto posibilitará que los niños se pongan en contacto tanto con la numeración oral como con la imagen escrita del número, asociada en cada caso a un animal diferente y a la acumulación de los distintos personajes.

La numeración oral, por su parte, es el pilar fundamental de la noción de sucesión y, en ese sentido, también de organización. Es decir, una vez que el niño puede dar cuenta de estos diez primeros números en orden (que luego serán más y luego más), habrá logrado tener un sistema organizado por un criterio.

Además, la historia permite también trabajar el concepto de solidaridad, básico y fundamental en el momento en el que el niño comienza a escolarizarse, a compartir tareas con los demás. Este es sin lugar a dudas el momento ideal para que tome conciencia de que el objetivo común de un grupo fortalecerá el resultado.

UN CUENTO QUE SE LEE, SE MIRA, SE DISFRUTA Y ADEMÁS…

¿Qué otras cosas se pueden hacer con esta historia de Pato Pico Chato?

√ Ayudar a que, deteniéndose en los dibujos de los números, los niños vayan memorizando la serie del 1 al 10.

√ Identificar cada número con su animal, lo que le dará al número un motivo más de interés.

√ Empezar la serie en cualquier número y continuarla hasta el final: abrimos el libro en cualquier página y jugamos a seguir contando (y a seguir acordándonos de los animales).

√ Comenzar la serie en cualquier número y desandarla hasta el comienzo.

√ Ahondar en las características de personalidad de cada uno de los animales de la Pandilla:

> ¿Cuál es el problema que tienen?

> ¿Cómo propone solucionarlo Ardilla?

√ Podemos incorporar palabras nuevas correspondientes a valores positivos

> solidaridad
>
> generosidad
>
> amistad
>
> unión

√ ¿Qué animales de la pandilla ya eran conocidos? ¿Cuáles de ellos no eran conocidos por los niños?

√ Podemos jugar a recortar números gigantes y que los niños se los coloquen como pechera para luego formar una fila con el orden numérico.

La Pandilla de los DIEZ

Pato Pico Chato

Cerdito Sancho Pancho

Cabra Abracadabra

Sapo Poco Rato

Araña No Me Extraña

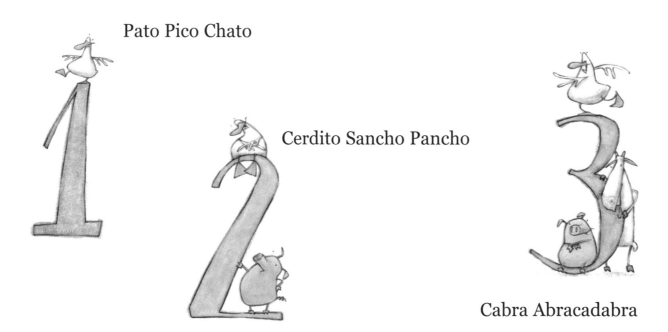

Conejo Con Espejo

Gallo Aquí No
Me Hallo

Pez Que Tal Vez

Ardilla
De La
Pandilla

Pato Pico Chato

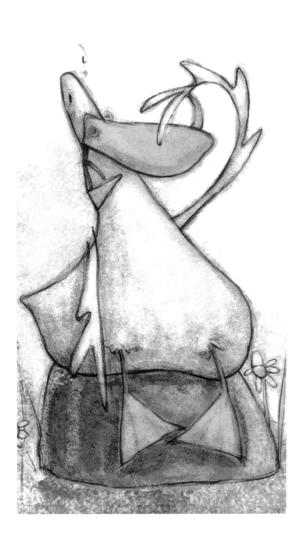

UNA HISTORIA SIN PALABRAS

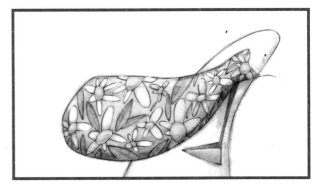